kunka-ta

texte: ricardo
alcantara sgarb
images: carme peris

D0893000

le croque-livres **casterman**

Titre de l'édition originale en langue espagnole:
KUNKA-TA
Texte © Ricardo Alcantara - Illustrations © Carme Peris
© 1983, Editorial Argos Vergara, Barcelone.
ISBN 84-7178-599-4
© Casterman 1985, traduction française de
Paul Delmotte.
ISBN 2-203-13863-7
ISSN 0750-134X

C'est à la tombée du soir que naquit Kunka-Ta.

Beaucoup pensent d'ailleurs que c'est pour cela qu'il aime tant la musique. Car, au pays de Kunka-Ta, quand vient le soir, tous les oiseaux de la forêt font entendre leur chant avant de se retirer pour la nuit.

Personne au village n'avait jamais vu un si petit bébé aussi attentif à la musique, aux bruits et aux sons.

A l'heure du repas, la maman de Kunka-Ta prenait une cuillère et frappait en mesure le bol d'argile de son petit garçon. Reconnaissant un air qui lui plaisait, l'enfant ouvrait une bouche énorme et souriante et savourait sa panade.

Dès que les grandes personnes ne lui prê-
taient pas attention, Kunka-Ta s'éclipsait. A
quatre pattes, il descendait à toute vitesse
vers la rivière pour écouter le clapotis de
l'eau sur les cailloux.

Il pouvait aussi rester des heures entières
l'oreille appuyée contre le sol; il écoutait les
vibrations que font, en marchant, les animaux
de la jungle.

L'enfant s'amusait tellement à ce jeu, qu'il ne

faisait pas beaucoup d'efforts pour apprendre
à se tenir debout. Et ses parents se deman-
daient quand Kunka-Ta se mettrait à marcher.
Or, un beau jour, le petit garçon se trouva
nez à nez avec un oiseau qui le regardait
en sifflotant. On aurait dit qu'il parlait
à Kunka-Ta!
Celui-ci, fasciné par la mélodie, se mit alors
debout d'un seul coup et, les bras tendus,
essaya d'attraper l'oiseau.

Kunka-Ta marchait enfin ! Et non seulement il marchait, mais il courait !

A partir de ce jour, Kunka-Ta ne tint plus en place. Captivé par les cris des animaux, il courait sans cesse d'un endroit à l'autre.

Un après-midi où, tout en sueur, il poursuivait un faon qui ne voulait pas s'arrêter pour bavarder avec lui, Kunka-Ta trébucha sur une branche morte et tomba.

Il ramassa la branche pour la jeter très loin mais s'aperçut alors que c'était une belle branche, solide et longue. Tenue verticalement, elle était même plus haute que lui. Le garçon oublia sa rancune et l'emporta.

Il la traînait derrière lui et s'amusait des dessins qu'elle traçait sur le sol...

Il en frappait les arbres et les pierres du chemin, il fouettait à grands coups les hautes herbes...

Kunka-Ta s'aperçut alors de quelque chose d'extraordinaire : à chaque chose qu'il heurtait de son bâton, il obtenait un son différent ! Et, en frappant plus ou moins fort et à des rythmes différents, il pouvait même transformer tous ces sons en musique !

Pendant des semaines, Kunka-Ta s'appliqua. Il écouta attentivement tous les sons que produisait son bâton et apprit à en jouer si bien qu'il put bientôt imiter toutes sortes de bruits : le fracas des tempêtes, le martèlement de la pluie, le crissement des pas et même les cris des animaux ! Et il devint si habile que, petit à petit, les animaux commencèrent à le comprendre.

A chaque fois qu'un lion, un singe, un oiseau ou même un hippopotame lui répondait, Kunka-Ta était tellement excité que pour se calmer il lui fallait courir, crier et faire plusieurs culbutes.

Chaque jour qui passait apportait à Kunka-Ta de nouvelles découvertes. Aussitôt réveillé, il disparaissait parmi les arbres et les fougères. Et il marchait, sans jamais se fatiguer, à la recherche de voix nouvelles et inconnues. Kunka-Ta, qui pouvait maintenant parler à de nombreux animaux, se faisait de plus en plus d'amis parmi les habitants de la forêt. Et plus rien dans la jungle ne l'effrayait. Il savait que ses nouveaux compagnons accourraient au moindre appel.

Kunka-Ta connut bientôt les moindres recoins de la brousse et il en était très fier, car peu d'hommes au village connaissaient la forêt comme lui.

Un jour, les villageois remarquèrent que le vol des oiseaux se faisait plus nerveux. Buffles et antilopes ne s'éloignaient plus du troupeau et semblaient inquiets...

Puis d'étranges rumeurs parvinrent des villages proches. On disait que des hommes mauvais étaient arrivés, qu'ils attaquaient les

hameaux et capturaient les habitants, qu'ils enfermaient ceux-ci dans de grandes barques et les emmenaient très loin...

La crainte et l'incertitude des lendemains s'emparèrent de la forêt. Au village de Kunka-Ta, on tint un grand conseil.

Le soir même, la maman de Kunka-Ta lui interdit de quitter le village.

Rien, évidemment, ne pouvait déplaire davantage à Kunka-Ta.

Quoi? Passer des jours et des jours sans voir ses amis, les animaux?

Quand cette séparation forcée lui pesait trop, il prenait sa branche et les appelait: cela le réconfortait d'entendre, même de loin, leur réponse.

Kunka-Ta se sentait très, très triste. Il n'avait même plus envie de jouer.

Au village, rien n'était plus comme avant.

Les gens ne riaient plus et passaient de longues heures silencieux.

Le soir, autour du feu, personne ne se levait plus pour danser...

Kunka-Ta se sentait tout engourdi : ses pieds avaient besoin de courir librement sur l'herbe. Quand pourrait-il à nouveau grimper tout en haut des grands arbres ?

Mais c'était surtout le chant de la rivière toute proche qui tentait Kunka-Ta. Il brûlait d'envie d'aller barboter dans l'eau claire.

— Et si j'y allais seulement un moment, se demandait-il, que pourrait-il m'arriver ?

Kunka-Ta regarda autour de lui. Tous les membres de la tribu étaient occupés par leurs travaux.

— Bah, se dit-il, ils ne s'apercevront même pas que je suis parti. Et pas à pas, il s'éloigna tout doucement en se retournant souvent pour voir si personne ne le regardait.

Il prit son élan et, d'un bond, il se cacha dans les broussailles. Son cœur battait très fort. Alors, il courut jusqu'au bord du fleuve.

La rivière était là devant lui. Kunka-Ta regarda avec admiration le scintillement joyeux de l'eau sous le soleil. Et, sans hésiter, il plongea.

Sous l'eau, Kunka-Ta ouvrait les yeux, ravi de rencontrer tant de poissons. Tantôt il se laissait emmener par le courant, tantôt il nageait furieusement comme pour chasser tous les regrets de ces jours interminables. Sa joie était si forte qu'il ne remarquait même pas combien la rivière l'entraînait loin du village... Et quand, enfin, il sortit de l'eau un visage ruisselant, l'effroi le saisit : là, tout près, sur la rive, se dressait un étrange campement.

En un instant, Kunka-Ta se souvint du danger qui planait sur les villages de la brousse. Et il sentit, dans son dos, une sueur glacée.

C'était là que se trouvaient les hommes sans pitié qui dévastaient les villages et capturaient leurs habitants !

Il fallait partir tout de suite !

Tout doucement, veillant à ne faire aucun bruit, Kunka-Ta sortit de l'eau et se faufila entre les arbustes qui garnissaient la rive. Puis, toujours silencieux comme une ombre, il se mit à ramper sous la végétation touffue.

Et c'est alors qu'il entendit les plaintes.

Ce n'étaient ni des cris ni des pleurs, mais une lamentation si affreusement triste qu'il ne put s'empêcher de s'arrêter.

Kunka-Ta hésita. En s'attardant, il prenait un risque énorme. Mais les plaintes semblaient l'appeler. Pouvait-il les ignorer?

Il décida alors de monter à un arbre pour voir d'où venait le bruit. Agile et silencieux, il se hissa jusqu'à une grosse branche feuillue sur laquelle il s'allongea.

Ce qu'il vit alors l'horrifia.

Là, plus bas, se trouvaient entassés dans un enclos de bambou des dizaines d'hommes et de femmes. Tous portaient de lourdes chaînes aux pieds et aux mains.

Kunka-Ta ferma les yeux et se cacha la tête dans les bras.

Pouvait-il les laisser sans rien faire ?

— Je ne les abandonnerai pas, se dit-il en serrant les dents.

Mais que pouvait-il faire seul contre ces bandits, armés jusqu'aux dents ? Peut-être y aurait-il moyen de les chasser si tous les habitants de la forêt, hommes et bêtes, s'unissaient contre eux ?

Mais, hélas, Kunka-Ta n'avait pas sa branche! Comment pouvait-il appeler ses amis?
Alors, il se mit à imiter le cri des animaux. Et, à tue-tête, Kunka-Ta se mit à appeler les lions, les girafes, les singes, les crocodiles, tous ses amis de la brousse.

«Au secours, au secours!» criait-il dans leur langage. Il appelait même ceux qui se trouvaient très loin, au-delà de la rivière et de la grande forêt. Ils l'entendraient et accourraient, il en était sûr!

Mais les hommes du camp l'entendirent aussi.

Et, pour bien montrer qu'ils ne plaisantaient pas, l'un des bandits tira en direction de Kunka-Ta. La balle passa tout près et celui-ci, très effrayé, descendit de son perchoir.

Celui qui avait tiré le prit aussitôt par le bras et l'entraîna vers le camp. Impossible de fuir.

Et, à son tour, Kunka-Ta fut enfermé dans l'enclos et enchaîné.

Kunka-Ta regarda les autres prisonniers.

Il vit tant de tristesse dans leurs yeux qu'il eut envie de crier de toutes ses forces, jusqu'à ce que les chaînes se cassent.

Mais il n'en fit rien. Pendant un long moment, il garda le silence. Il réfléchissait.

Puis, tout à coup, il se mit à chanter.

C'était une curieuse chanson, pleine de sons étranges et mêlés. Une oreille attentive pouvait y reconnaître le bruissement des arbres, mais aussi des claquements d'ailes et même le craquement des feuilles mortes sous les pas...

C'était la chanson de la forêt.

Il se passa alors quelque chose d'incroyable. L'un après l'autre, les captifs se redressèrent, leurs corps se mirent à onduler comme des roseaux sous la brise et leurs voix s'unirent à

celle de Kunka-Ta. Et tous ces yeux éteints se remirent à briller, comme l'horizon quand il s'habille de lumière pour annoncer que la nuit se termine.

— Qu'est-ce que c'est que ça? hurla soudain l'un des gardes en montrant le ciel.

Un immense nuage noir approchait à grande vitesse. Au début, il avait une forme ovale mais, brusquement, il se transforma en une silhouette gigantesque et tressautante, qui remuait dans le ciel avec des gestes furieux et menaçants.

— Quel est ce monstre terrible! chuchotaient les bandits, pâles et inquiets, sans voir que ce n'était qu'un immense vol d'oiseaux.

Quelques-uns tirèrent, par-ci, par-là, en direction de l'apparition, mais les oiseaux volaient si haut que les tirs ne purent les atteindre.

— Regardez, cria alors un autre, blême comme un fantôme, les arbres se déplacent ! Et, en effet, on aurait dit que les arbres bougeaient d'un endroit à l'autre, comme s'ils avaient voulu les encercler et les emprisonner.

En réalité, ces arbres mouvants n'étaient rien d'autre qu'une troupe de girafes qui avaient recouvert leur long cou de branches touffues et se dandinaient de façon fort inquiétante.

Les geôliers ne s'en doutaient évidemment pas et ils se sentaient envahis par une peur terrible qui leur glaçait les os.

Kunka-Ta et ses compagnons, voyant leurs gardiens de plus en plus effrayés, se mirent alors à chanter avec une force redoublée et, soudain, d'autres voix, nombreuses et puissantes, leur répondirent : c'étaient les gens du village de Kunka-Ta et d'autres villages environnants !

Puis, de partout à la fois, retentirent des bruits d'autant plus terrifiants qu'ils semblaient surgir de nulle part : au chœur des prisonniers se joignaient des rugissements féroces, des ricanements sinistres et, surtout, de terribles coups sourds et rythmés, si puissants qu'ils faisaient vibrer l'air, et qui se rapprochaient inexorablement...

Le vacarme était assourdissant.

Les bandits étaient maintenant tout à fait terrorisés. Ils couraient dans tous les sens, affolés, le souffle court.

Et c'est alors que la terre se mit à trembler.

Pour les geôliers c'était la fin. Pris de panique, ils gémissaient, parlaient d'esprits vengeurs, d'attaque du ciel, de punition... Ils ne pensaient plus qu'à fuir, et vite.

En toute hâte, ils se jetèrent à l'eau et nagèrent comme des fous vers leur barque.

C'est ainsi que les aventuriers quittèrent pour toujours ce pays qu'ils croyaient ensorcelé, sans se douter que les esprits qui les avaient chassés n'étaient que les amis de Kunka-Ta: les lions rugissants, les hyènes au rire diabolique, les éléphants qui, de leur trompe, frappaient les arbres en cadence... Quant au tremblement de terre, il était dû aux singes qui, malins et espiègles, frappaient le sol avec de gros bâtons!

Et le vent, complice, porta au loin, de l'autre côté du grand fleuve et au-delà des montagnes, le récit de ce qui s'était passé.

Si bien que plus aucun homme méchant ne se risqua jamais dans ce mystérieux pays protégé par des esprits tout-puissants!

Quant à Kunka-Ta, il peut maintenant gamba-
der à nouveau et courir sans crainte dans la
forêt.
Dans cette merveilleuse forêt pleine de sons,
de rythmes et de cris qu'il a décidé d'apprendre, sans en oublier aucun.

dans la même collection:
68 titres parus

Imprimé en Belgique par Casterman s.a., Tournai, janvier 1985. N° édit.-impr. 1641.
Dépôt légal: mars 1985; D. 1985/0053/54
Déposé au Ministère de la Justice, Paris
(loi n° 49.956 du 16 juillet 1949 sur les publications destinées à la jeunesse).